Traducción: Violante Krahe

Título original: *Les petits galopins*
© Editorial Albin Michel Jeunesse, París, 2002
© De esta edición: Editorial Luis Vives, 2004
 Carretera de Madrid, km. 315,700
 50012 Zaragoza
 teléfono: 913 344 883
 www.edelvives.es

ISBN: 84-263-5225-1
Depósito legal: Z. 480-04
Printed in Spain

Talleres Gráficos Edelvives (50012 Zaragoza)
Certificados ISO 9001

Los fantasmillas

Jacques Duquennoy

EDELVIVES

BLAM

11

Mmm... ¡Está delicioso!

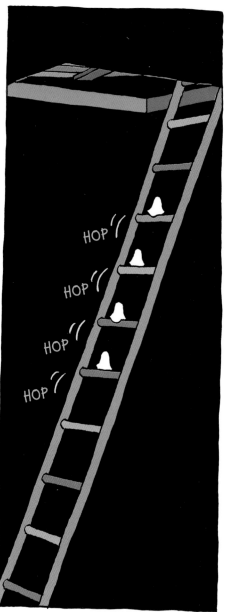

¡Vamos! ¡Ya es hora de que vayáis a la cama!

¡Vaya con los fantasmillas!